Juf
Bas
Marja
Boris
Steef
Emma
Mam
Vera
Ekber

Kijk naar jezelf!

Wil je meer weten over Floortje Zwigtman? Kijk op www.floortjezwigtman.nl
Of over Ype Driessen? Kijk op www.fotostrips.nl

leeftijd vanaf 10 jaar

Bij boeken in de Kokkel-reeks zijn zins- en woordlengte, AVI, lay-out, illustraties en inhoud aangepast aan de leeservaring en mogelijkheden van kinderen die graag spannende boeken lezen die niet te moeilijk zijn. Boeken in deze reeks zijn voorzien van het AVI- en CLIB-vignet (dat wil zeggen dat de boeken op niveaubepaling zijn geregistreerd en gecontroleerd door CITO ism KPC Groep) en het keurmerk van de Stichting Makkelijk Lezen.

Voor andere delen in de Kokkel-reeks: kijk op www.inktvis.nl

Floortje Zwigtman en Ype Driessen

Kijk naar jezelf!

Speciale dank aan: Inge (Emma), Gina (Marja), Berend (Bas), Maarten (Steef), Michiel (Boris), Tevfik (Ekber), Lotte W. (Vera), Lia (moeder Emma) en juf Lisette (juf)!

En... andere leerlingen uit groep 8 van School Vest in Dordrecht: Annemarije, Bob, Charel, Darian, Emma, Ilse, Isaura, Jeremy, Jeroen, Julia, Lotte B., Marnix, Ozan, Roel, Roza, Sana, Sanne, Sebahaddin, Sietse en Soufiane.

Ook bedankt: Willem Stam, Juul Spee en Erwin van den IJssel.

Tekst en idee: © 2010 Floortje Zwigtman
Beeldscenario en fotostrips: © 2010 Ype Driessen
Ontwerp Kokkel-logo: Marijke Munnik
Vormgeving: Hill van Walraven en Erik van Wel (Hollands Diep Design)

NUR 286
ISBN 978-90-75689-64-8

Inhoud

Hoofdstuk 1 De nieuwe school

Denk jij nu: wat een raar kind!
Een nieuwe klas, met nieuwe kinderen.
Dat is voor iedereen eng, toch?
Voor mij is het niet EEN BEETJE eng.
Maar nachtmerrie-eng.
Een enge droom waar ik niet uit
wakker word.
Ook niet als de wekker gaat.

Dit is wat jij ziet

Een klas vol kinderen die ik niet ken…
Dat is voor mij een spookhuis!

Dit is wat ik zie

Hiervoor zat ik op een andere school.
Daar werd ik altijd gepest.
Het kwam niet door wat ik zei.
Of door wat ik deed.
Ik zei niets.
En in de klas of op het plein deed ik niets.
Behalve doen of ik er niet was.
Maar dat hielp niet altijd.
Soms zagen ze me toch.
En dan begon het gepest.

Op mijn oude school was ik niet Emma.
Maar Emma Pemma.

Vriendenboekje

Naam: Emma Peper

Leeftijd: 12 jaar

Kleur haar: blond

Kleur ogen: groen

Wat ik het liefst doe: sporten, lachen, films kijken

Waar ik een hekel aan heb: gepest worden, er niet bij horen

Wat ik het liefst eet: ijs, taart met nootjes (bakt mijn moeder)

Kleren die ik graag draag: trui + wijde broek, gympen (alles waar je goed in kunt sporten)

Beste vrienden: Lina (nichtje), Joost (neef), Pieter en Johanna (van internet)

Wat ik later wil worden: iets met sport

Mijn liefste wens: dat ik net ben als iedereen

Vijandenboekje

Naam: Emma Demma

Leeftijd: 12 jaar

Kleur haar: vies en vet (met luizen!)

Kleur ogen: kun je niet zien (want Emma Demma jankt altijd)

Wat ik het liefst doe: in mijn neus peuteren

Waar ik een hekel aan heb: alles wat cool is

Wat ik het liefst eet: snotjes

Kleren die ik graag draag: de kleren van mijn oma's oudste zus

Beste vrienden: geen

Wat ik later wil worden: iets met plees schoonmaken

Mijn liefste wens: dat ik net ben als iedereen (ja dag, Emma Demma! Dat lukt jou in geen 100 jaar!)

Maar zo wil ik niet meer zijn!
Ik word nette Emma.
Of mode-Emma.
Of stoere Emma!
Emma, schiet op! Je komt te laat!

Ik ben stoere Emma. Stoere Emma is niet bang voor een nieuwe klas.
Zelfs niet voor een klas vol pesters.
Maar als ze nu lachen om mijn naam?
Of om mijn haar? Of om hoe ik praat? Of...?
DAAR IS DE SCHOOL!

Ben jij die nieuwe?
Hoe heet je?
Waar woon je?
Op welke school zat je?
BLUE RIDGE HALL

Mee-
doen?
JAAAAAAAA!

Dit kan ik goed! Scheuren op vier wielen. Op vier wielen ben ik stoere Emma!
WOW!
TRIIING
De bel! Emma, kom je mee?

Dit is Emma. Onze nieuwe leerling.
Juf! Mag Emma bij ons zitten?

Ik ga aan tafel zitten bij Marja en Steef.
Ze halen boeken en schriften voor me.
Ze geven me pennen en potloden.
En ook kauwgum als de juf niet kijkt.
Ze vertellen me alles over de klas.
Ze vinden me leuk!
Niet om wat ik zeg of wat ik doe.
Zomaar. Meteen.
Zo lijkt het tenminste.

Als de bel gaat, vraagt Marja: 'Ga je mee?
We gaan keten bij de winkels.'
En ik zeg weer: 'JA!!!' Keihard.
Want dat heeft nooit iemand aan Emma Pemma gevraagd.

Emma,
hoe was het
op school?
Leuk!

Ik bekijk elke foto wel tien keer voor ik ga slapen.
Ik heb vrienden.
Ik hoor er bij.
Die foto's zijn het bewijs.
Ik wil ze aan iedereen laten zien.
Zie je wel: Emma Pemma heeft ook vrienden!
Coole vrienden.
Ik stuur Steef, Marja en Boris ook een foto.
En dan wacht ik op een sms terug.

Ik wacht tot mam roept dat het licht uit moet.
Maar dan lig ik nog lang wakker.
Waarom sms'en Marja, Steef en Boris mij niet?
Sms'en ze elkaar wel?
Over mij?

Wat vinden jullie van Emma?
Opties Beantw. Terug
Zielig zwamkipje
Opties Beantw. Terug
MMOW
(= Mega-Miep Op Wielen)
Opties Beantw. Terug
LOL!!!
Opties Beantw. Terug

Hoofdstuk 2 De nieuwe pester

Hoi Emma!

Hoe vind je het hier op school?

Best wel leuk.
Leuker dan op m'n oude school.
Daar zaten alleen sukkels op.

ik weet een mop over sukkels!

Sukkel en Ruzie doen een verstop-spel. Sukkel verstopt zich achter een auto van de politie.
Er stapt een agent uit.
Hij vraagt: "Hoe heet jij?"
Sukkel zegt: "Sukkel"
De politieman: "Zoek je ruzie?"
Sukkel: "Nee, Ruzie zoekt mij."

Steef is mijn beste vriend op school.
Ik weet zeker dat hij mij geen sukkel vindt.
En niet stiekem sms'jes over me stuurt.
Steef durf ik geheimen te vertellen.
Bijna.

Steef en ik hangen vaak bij de winkels rond.
We kijken naar de mensen.
En verzinnen verhalen over hen.
'Zij is een geheim agent,' zegt Steef over een dikke vrouw.
'Ze houdt ons in de gaten.
Alles wat we doen, vertelt ze door.'
'En hij…'
Ik wijs naar een man met een baard.
'Bij volle maan wordt hij een weerwolf.'
'En wie ben jij?' vraagt Steef.

‘Dat mag niemand weten!’ zeg ik.
Ik doe of het een groot geheim is.
‘Vertel eens iets,’ dringt Steef aan.
‘Iets. Iets. Kom op, iets.’
Ik geef toe.
‘Ik was iemand anders,’ zeg ik.
‘Een heel andere Emma.’

Steef zegt dat hij denkt dat ik een filmster ben.
Een filmster die een gewoon leven wil.
Of dat ik gevlucht ben uit een ander land.
Omdat mijn leven daar in gevaar was.
Ik laat het hem maar denken.
Het klinkt spannend.
Spannender dan een sukkel zijn op je oude school.

Steef vertrouw ik. Maar Nadia en Riekje roddelen graag.
Erik is brutaal. Iedereen vindt hem leuk.
Ik moet iets doen, zodat ze me ook stoer vinden.
Ik kan Bas te pakken nemen!

Bas hoort niet bij ons groepje.
Hij hoort nergens bij.
Als er echt een school voor sukkels zou bestaan…
… dan haalde Bas daar alleen maar tienen!
Op deze school doet hij alles fout.
Als we spelen op het plein, staat hij maar te staan.
En als hij meedoet, is hij altijd als eerste af.
Hij praat heel zacht.
En lacht dan weer veel te hard.
En om de verkeerde grappen.
Als we hem pesten, doet hij nooit iets terug.
En iets stommers kun je niet doen!

Ik weet heel goed wat Bas fout doet.
Want Emma Pemma deed het ook zo.

A.P.T.W.J.D.H.N.A.H. 1
ANTI PEST TIPS WAAR JE DUS HELEMAAL NIETS AAN HEBT
Doe maar net of je je er niets van aantrekt, dan is de lol er zo af!
Ja, dan is de lol er echt af!

Nu doe ik het! Waar iedereen bij is!
Hee Bas! Wat sta je daar nou sneu te staan?!
Wil je ook eens?
Eh... nee, dank je. Hoeft niet.
Kom op, doe niet zo bang!

Ik geef je wel een duwtje!

BAF!

Oooooh...

Bas ligt op de grond.
Mijn grap is gelukt.
Maar niemand lacht.
Ik ook niet.
Het bloed is niet grappig.
Bas snikt en snuft.
Maar ook daar lachen we niet om.
We lopen stil achter de juf aan als
ze hem naar binnen brengt.
Ze zet Bas op een stoel en knijpt zijn
bloedneus dicht.
'Wat is er gebeurd?' vraagt ze aan ons.
'Wie heeft het gezien?'

Ik steek mijn hand niet op.
Mijn mond zit dicht.
Misschien van de schrik.
Of omdat ik me schaam.

De juf slaat haar armen over elkaar.
‘Ik wacht,’ zegt ze.
Ze klinkt geduldig maar ze is het niet.
‘Zij!’ zegt Bas dan.
‘Zij gaf me een duw!’
Hij houdt met één hand zijn neus dicht.
Met de andere wijst hij naar mij.
‘Is dat waar?’ vraagt de juf streng.
Ik zeg niets.
Boris en Marja kijken kwaad naar Bas.
‘Stel je niet zo aan!
Dat was maar een duwtje!’
‘Maar een geintje!’
De juf gelooft het niet.

‘Ik ben dit soort gedoe zo beu,’ zegt ze.
‘Blijf jij maar eens na, Emma.
Dan leer je meteen dat het zo niet hoort op deze school.’
Tot kwart over vier zit ik met de juf in het lokaal.
Ze kijkt schriften na en ik verveel me.
Op het plein staan Steef en Marja en Boris.
Ze wachten op me.
Marja en Boris trekken gekke bekken.
Ik lach en voel me niet meer zo rot.
Ze zijn het niet eens met de juf.
Het ongeluk is niet mijn schuld.
Het is de schuld van Bas.

‘Hij vraagt er om,’ zegt Marja als ik uit school kom.
‘Hij is zo’n sukkel.’
‘En een verrader,’ zegt Boris.
‘We pakken hem wel terug. Let maar op.’

Vrienden!
Vrienden!
Vrienden!
Vrie...

Hoofdstuk 3 Samen met Bas

A.P.T.W.J.D.
H.N.A.H.
ANTI PEST TIPS WAAR JE DUS HELEMAAL NIETS AAN HEBT
2
Zo'n gepest kind moet je een beetje helpen.
Zorg ervoor dat hij vrienden maakt.
Lekker met de anderen meedoen, Bas.
Leer hem voor zichzelf opkomen.
Ga op boksen of judo.
Zet hem eens fijn in het zonnetje.
Kijk eens: Bas heeft zijn viool meegenomen.
GAAAAAP!

De juf zet Bas bij ons aan tafel.
'Jullie werken deze week samen,' zegt ze.
'Zonder geklier.'
Daarna gaat ze voor de klas staan.
Ze lacht nu weer.
Alsof ze geweldig nieuws heeft.
'We doen mee aan een wedstrijd!' roept ze.
Ze laat een folder zien.
Kijk naar jezelf! lees ik op de voorkant.
'Elk groepje maakt een film.
Over jullie eigen leven.
Er doen een hele hoop scholen mee.
De beste film komt op tv!'
Iedereen roept: 'Yes!' of 'Wij gaan winnen!'
Behalve wij.
Wij denken: wij moeten een film maken met BAS!

Bwuh!
Geen zin...
Niet met Bas!
Wat zullen ze nu weer van plan zijn?

De hele klas is druk bezig.
Ze schrijven op wat ze gaan filmen.
Idee na idee.
Wij schuiven een vel papier heen en weer.
Er komt niets op te staan.
Of soms een kort zinnetje dat we weer doorkrassen.
Marja kauwt op de punt van haar potlood.
We maken een liefdesfilm, schrijft ze op.
Emma is op Bas.
Ze is zoooo verliefd!
Ik pak mijn pen en kras de zinnen door.
Tot de punt door het papier prikt.
'Echt niet!' zeg ik.

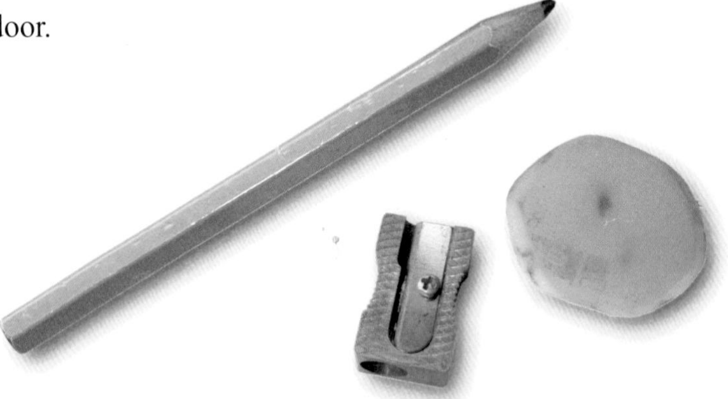

Ik wil niet met Bas in één film.
En zeker niet in een film waarin we verliefd op elkaar zijn.
Dat is iets voor Emma Pemma.
Die zou Bas misschien wel leuk vinden.
Omdat ze niet bang voor hem zou zijn.

Maar nu wil ik een film maken over de nieuwe Emma.
Die Emma wil een ster zijn.
Ze wil vrienden. Veel vrienden.
Nog meer vrienden.
Ze wil op tv.
Ze wil een kast vol mooie kleren.
Ze wil honderd leuke sms'jes op haar mobiel.
Ze wil duizend dingen meer dan ze nu heeft.

En dan weet ik opeens waar onze film over moet gaan.

We maken een film over wie we **willen** zijn!
Dat gaan we doen!
Super!
Goed idee!
Ik wil beroemd worden! Zangeres!
Ik wil dokter worden!
Ik wil een speurder worden!
Die misdaden oplost!
Ik wil onzichtbaar worden...
En Emma, wie wil **jij** zijn?

Ik weet het meteen.
Ik ben de ster.
Ik ben een beroemde sporter.
Ik haal stoere stunts uit.
Niet op het schoolplein, maar tijdens wedstrijden, op tv.
Waar ik ook heen ga, iedereen kijkt naar mij.
Ik word gevraagd voor alle feestjes.
Ik sta als model op de voorkant van elk tijdschrift.

‘En Bas?’ vraagt Steef plots.
‘Die doet ook mee.’
Wie wil jij zijn?’vraagt hij aan Bas.
Bas aarzelt.
En dan is het Marja die antwoord geeft.
‘Dat weet ik wel,’ zegt ze.
‘Bas is de griezel in onze film.’

Bas een griezel: dat gelooft niemand!
We lachen allemaal.
Van Bas wordt een ziek muisje nog niet bang.
Maar Marja legt het ons uit.
'Bas speelt een loser.
Daarom is hij jaloers op Emma.
Omdat iedereen haar leuk vindt.
Hij ontvoert haar.
Hij sluit haar ergens op waar niemand haar kan vinden.'

'Goed idee!' roept Boris.
'Ja, echt goed!' zeg ik.
Als Boris het een goed idee vindt, dan ik ook.
'En Bas?' vraagt Steef weer.

We kijken allemaal naar Bas.
'Ik… ik ben liever de speurder,' zegt hij voorzichtig.
Hij praat tegen de tafel, tegen zijn handen.
Niet tegen ons.
Daarom luisteren we ook niet naar hem.
'Je doet gewoon wat wij zeggen,' zegt Marja met een juffen-stem.
'Als je bij ons wilt horen, moet je meedoen.
Anders blijf je een sukkel.'
'Je krijgt maar één kans,' zegt Boris.
'Nou, doe je mee?' vraag ik.
Bas kijkt naar ons.
Ik weet wat hij denkt.
Aan wat we zullen doen als hij 'nee' zegt.
En aan wat we zullen doen als hij 'ja' zegt.

Dan knikt hij.

Hoofdstuk 4 De film

Vandaag gaan we de film maken.
De juf heeft ons gisteren laten zien hoe je dat doet.
Nu kunnen we het zelf.
Marja heeft opmaakspullen meegenomen.
Rood voor mijn lippen en roze voor mijn wangen.
En zwart voor Bas.
Marja zet hem op een stoel.
Ze tekent stoppels op zijn kin.
Stoppel voor stoppel maakt ze een griezel van hem.
Bas bekijkt het in de spiegel.
Hij loert naar zijn spiegelbeeld.
Alsof hij echt probeert een griezel te zijn.
Maar het lukt hem niet.
Deze Bas is nep. Dat heb ik zo door.

DE WRAAK
VAN DE NERD
WATJE OF
GRIEZEL?
BINNENKORT
TE ZIEN!

Zo, kijk maar eens in de spiegel.
Ben ik dat?!
Ik ben ook nep!
Ja, jij bent nep, en straks hebben ze jou **ook** door!

Iedereen klaar?
Actie!
Naar binnen jij!
REC
Nu zal je leren hoe het is als niemand je ziet staan!
Dat weet ik al...
REC
Nu zal je voelen hoe het is als iedereen je pest!
Dat weet ik ook al...
REC

Kom tevoorschijn en geef je over!
[●REC]

NOOIT!
[●REC]

[●REC]

Stop! Je doet het niet goed!
Je moet 'm op zijn donder geven! Dat verdient hij!
Kijk: zo!
En zo!
En...
STOP!

Ik vergeet mijn rol.
Marja vergeet te meppen.
Boris blijft staan met zijn mond wijd open.
We staren allemaal naar Steef.
'Ik doe niet meer mee!' schreeuwt hij tegen ons.
'Jullie willen ook niet dat Bas meedoet.
Niet echt.
Jullie willen hem alleen maar voor gek zetten!
Jullie willen hem niet als vriend!
Nou, dan ben ik jullie vriend ook niet meer!'
Hij draait zich om en loopt weg.
Ik kijk hem na.
Hij vroeg niet of ik met hem mee wilde gaan.
Of ik ook wilde stoppen.
Ook al zijn we beste vrienden.
Ik blijf bij Marja en Boris.
Drie pesters.

Hoofdstuk 5 Emma is een loser!

De volgende dag zit Steef bij Bas.
Niet bij ons.
Op het plein spelen ze samen.
Ze doen net of wij niet bestaan.
Het lijkt net of Steef en ik nooit beste vrienden zijn geweest.

Ik mis hem.
Maar wil ik bij hem en Bas horen?
Of bij Boris en Marja?

Wat zou de oude Emma doen?

Ik kies voor Steef.

Steef is een echte vriend.

En hij heeft het lef om geen pester te zijn.

En als ik voor Steef kies, kies ik ook voor Bas.

Wat zal de nieuwe Emma doen?

Ik kies voor Marja en Boris.

Iedereen vindt hen leuk.

En dus vinden ze mij ook leuk.

Als Steef bij de losers wil horen, moet hij dat zelf weten.

Emma!
Hee, Emma!
Dit is voor de wedstrijd! We gaan winnen!
OH NEE!
Beste ouders,
Zoals u weet, doet onze school mee aan de wedstrijd 'Kijk naar jezelf!'
De kinderen hebben allemaal een film gemaakt.
Morgen wordt de beste film van de stad gekozen.
Deze film doet mee aan de landelijke wedstrijd.
We maken van deze dag een feestje!
Samen met nog drie scholen.
Twee leerlingen van basisschool Het Palet kiezen de winnaar.
Dit zijn:
- Vera van der Laan
- Ekber Zafer
Wij rekenen er op dat u allen komt!
Mijn oude school!!!
Mijn oude pesters!!

Vera en Ekber.
Ik ken ze allebei.
En ze kennen mij ook.
Niet als de Emma die ik nu ben, maar als Emma Pemma.
Op mijn oude school stonden ze me elke dag op te wachten.
Om me pootje te haken.
Of mijn tas te jatten.
Of me uit te schelden.
Net zo lang tot ik huilde.
En ik huilde altijd.
Nu komen ze naar mijn nieuwe school.
Ze zullen me zien op de film.
Met Marja, Boris en Steef.
En ze zullen aan hen vertellen
wie ik echt ben.

We gaan winnen!
Zeker weten!
Ik ga verliezen...
Zo, daar hebben we Emma...
Emma Pemma...
x-factor
Emma Pemma, jij kunt niet toneel-spelen. Je doet wel stoer, maar iedereen ziet dat je het niet bent.
Met Emma wil je ècht geen vrienden zijn!
Juryrapport

Thuis doe ik of ik ziek ben.
Hoofdpijn, buikpijn, keelpijn.
Alles tegelijk.
'Ik kan morgen niet naar school, mam,' zeg ik.
Maar ze trapt er niet in.
'Je gaat gewoon,' zegt ze.
'Je laat je vrienden niet in de steek.
Jullie hebben samen die film gemaakt.
En die Vera en Ekber, doe maar net of je ze niet ziet.'
Ze praat net als de juf.
Net als iedereen die niet weet hoe pesten voelt.
Met echte buikpijn ga ik naar bed.
Ik hoop maar dat de wekker morgen niet gaat.

Hoofdstuk 6 Echte vrienden

Heb je zin in vandaag, Emma?
Hm hm.
Zijn ze er al?
Ja, daar!
Mam, ik moet even naar de wc.
Ik verstop me hier.
MUSEUM

Ik ga op de bril van de wc zitten en trek mijn benen op.
Zo ziet niemand mijn voeten.
Net op tijd!
'Ik wil hier nog even mijn haar doen!' roept een stem.
'Ik ga effe wat drinken!' roept een andere stem.
Ik ken die stemmen.
Het zijn Vera en Ekber.
Zij prutst altijd aan haar haar.
Hij heeft altijd dorst.

Ik hoor en ruik Vera's spuitbus haarlak.
Tsss… en dan een wolk lak-lucht.
Ik doe mijn best om niet te niezen.
En dan zie ik nog een paar voeten…

‘Hoi,’ hoor ik Vera zeggen.
‘Ben jij een van de filmers?’
Een meisje lacht. Het is Marja.
‘Ja, wij hebben een film gemaakt. Boris, Emma en ik.
Emma is hier nieuw op school.’
‘Emma?’ Ekber grinnikt. ‘Toch niet Emma Pemma?’

Vera spuit nog een wolk lak over haar haar.
‘Emma Pemma, die zat vroeger op onze school.
Dat was een zielig miepje! Ze kon nergens tegen.
Als je een geintje uithaalde, ging ze al janken.’

Mijn voet schiet van de wc-rand af.
Met een plof land ik op de bril.
Ik houd mijn adem in.
Maar ze lijken me niet te hebben gehoord.
'Emma Pemma?' zegt Marja.
'Dat is niet onze Emma.
Die haalt zelf dingen uit.'
En ze vertelt over Bas en de film.
Maar Vera luistert niet echt.
Ze loopt naar de wc-deur.
'Als Emma Pemma janken moest…' hoor ik haar zeggen.
'…dan verstopte ze zich altijd…'

OP DE PLEE!
MINE
Denim
New York

HA HA HA HA HA HA HA HA HA HA
Marja?!
HA HA HA HA HA HA HA HA HA HA
HA HA HA

Ik ren de gang door.
Ik wil weg!
Niet zomaar weg van Vera, Ekber en Marja.
Ik wil weg van de school.
Weg van mezelf.
Weg van de wereld.

Ik trek een deur open.
Het is de deur van de kast waar griezel-Bas
me in wilde opsluiten.
Het is de donkerste plek die ik ken.
Ik kruip weg, helemaal achter in de kast.
Achter mijn rugzak.

Stoere Emma was nep.
Ik was haar niet echt.
Ik speelde haar alleen maar.
Emma Pemma is echt.
En straks hoort iedereen dat ik haar ben.
Niet alleen Marja, Boris en Steef.
Maar de hele school.
Iedereen die nu in de grote zaal is voor de wedstrijd.
Vera zal het allemaal vertellen.
Als een geintje.

Ik probeer niet te janken.
Maar ik doe het toch.

Ga
weg!

GA WEG!
IK WIL NIET OP DE FILM!
JULLIE GAAN ME ALLEEN MAAR VOOR GEK ZETTEN!

Maar dit wordt een andere film, hè Bas?
Ja, weg met De Wraak van de Nerd!
We gaan een film maken over de échte Emma en de échte Bas!
Doe je mee?

Zijn we
dan nog steeds
vrienden?
NU
zijn we weer
vrienden!

BLUE
RIDGE
HALL
Boris
marJA
17th
sept

Brief van Emma

Hallo!
Dit is een brief van Emma.
Misschien wil je weten hoe het nu met me gaat.
Ik zal het je vertellen.

Ik zit nu al bijna een half jaar op mijn nieuwe school.
Ik heb twee hele goede vrienden: Steef en Bas.
Met hen heb ik veel lol.
Ook met Bas. Ja, echt!
Ik moet altijd heel erg lachen om zijn tekeningen.
Hij is leuk.
Niet alleen maar zielig.
Eigenlijk helemaal niet zielig.

Niemand in de klas noemt me Emma Pemma.
Niet iedereen vindt me leuk.
Marja probeert me soms te pesten.
Omdat ze me niet meer zo cool vindt als in het begin.
Maar Steef neemt het voor me op.
En ik kan nu ook voor mezelf opkomen.

Gelukkig hoef ik niet meer elke dag Stoere Emma te zijn.
Daar werd ik doodmoe van!
Het paste niet echt bij mij.
Nu ben ik gewoon Emma.
Ook al vindt niet iedereen Emma even superleuk of cool.
Maar ik wil niet anders meer!

Groetjes van
Emma

Juf
Bas
Marja
Boris
Steef
Emma
Mam
Vera
Ekber